플래시포인트 디럭스 에디션

초판 1쇄 인쇄일 | 2023년 6월 15일
초판 1쇄 발행일 | 2023년 6월 25일

글 | Geoff Johns
그림 | Andy Kubert · Sandra Hope
옮긴이 | 이규원
발행인 | 윤호권
사업총괄 | 정유한
편집 | 백소용
마케팅 | 정재영

발행처 | (주)시공사
출판등록 | 1989년 5월 10일(제3-248호)

주소 | 서울 성동구 상원1길 22 6-8층(우편번호 04779)
전화 | (02)2046-2800
팩스 | (02)585-1755
홈페이지 | www.sigongsa.com

ISBN 979-11-6925-713-8 07840
ISBN 978-89-527-7352-4(set)

* 시공사는 시공간을 넘는 무한한 콘텐츠 세상을 만듭니다.
* 시공사는 더 나은 내일을 함께 만들 여러분의 소중한 의견을 기다립니다.
* 잘못 만들어진 책은 구입하신 곳에서 바꾸어 드립니다.

배리 앨런은 한때
과거의 악몽에
시달렸다.

그러나 플래시가 된
후로는 그 악몽을 뒤로하고
달려 나갔다.

그는 사랑을 찾았다.

센트럴 시티 장로교회
배리 앨런과
아이리스 웨스트의
결혼식

가족도.

그리고
난생 처음으로...

배리. 여기는 뭐 하러 왔니?

아이리스를 만나야 해요.

아이리스? 어머나, 친구니? 사귀는 사이야?

잠깐이면 돼요, 엄마.

실례합니다. 아이리스 앨런을 찾는데요.

잘 찾아봐요. 여기 아이리스 앨런이란 사람은 없으니까.

잠깐. 혹시 아이리스 웨스트 찾아요?

네. 그게, 제가--

이걸 맡을 사람은 저 말곤 없어요, 바네사.

어차피 저 아니면 지원자도 없잖아요.

너무 위험해서 안 된다고 했잖아, 아이리스.

들리는 소문에 로이스 레인은 벌써 전선 너머로 들어갔대요. 우리 팀에도 유럽 돌아가는 상황을 전할 사람이 필요하잖아요. 누군가는 이 전쟁의 근본 원인을 밝혀내야죠!

카푸치노라도 한잔하면서 얘기해요.

사 주세요.

아이리스!

아이리스, 여기-

아이리스! 내 사랑!

아직도 거길 가겠다는 정신 나간 짓을 포기하지 않은 거야?

정신 나간 짓이 아냐, 존. 중요한 일이라고.

알아듣게 설득해서 좀 말려 봐.

아이리스 웨스트의 마음을 돌릴 수 있는 사람은 세상에 아무도 없어요. 조카 빼고는.

왜 이렇게 다들 날 못 잡아 둬서 안달이야?

자기가 무슨 일이라도 당할까 봐 걱정돼서 그러지.

나는 더 그렇고.

"...누가 우릴 쳐다보는 것 같았어."

살아 있는 모습을 보니 아주 반갑구만, 앨런 부인.

왜 그래?

아냐, 아무것도. 그냥...

죄송하지만 약속을 다른 날로 미뤄야겠어요.

제 차 있죠?

없어.

뭐라고요?

엄마!

엄마 차 좀 빌려도 돼요?

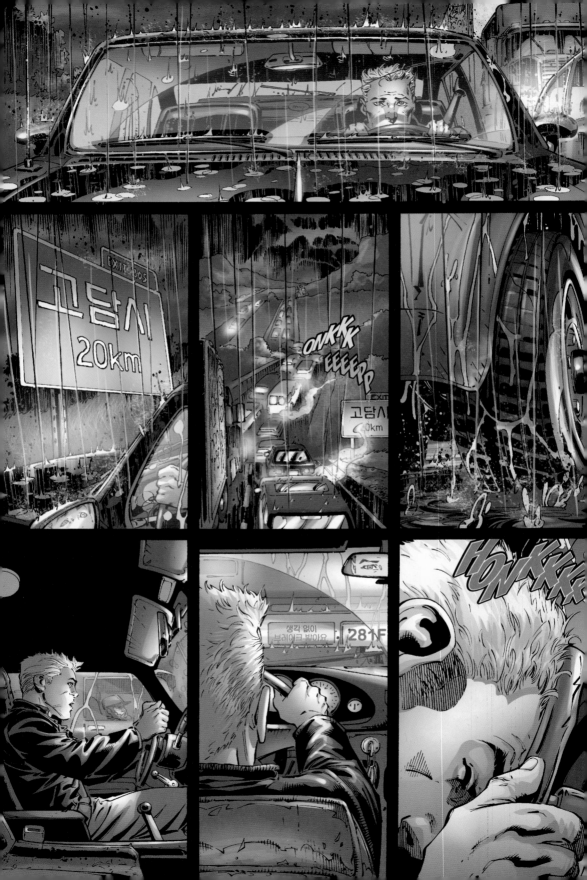

배리 앨런을 처음 봤을 때
나는 그를 죽일 뻔했다.

고담시.

세상에….

그날 밤 크라임 앨리에서…

…브루스가 죽었군요, 그렇죠?

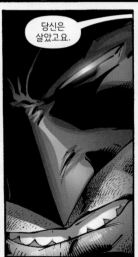

당신은 살았고요.

뭐 하는 거--?

으아아아아아아아아아아아아아아아! KRRAK

당신… 제 손가락을…. 팔까지 부러질 뻔했잖아요.

네가 누군지 말해. 안 그러면 뼈마디를 하나하나 다 꺾어 줄 테니. 정체가 뭐냐? 여긴 어떻게 들어왔지? 조커가 보냈나?

뭐라고요? 아니에요.

제 이름은 배리 앨런이지만 당신처럼 다른 이름이 있어요. 전 플래시예요. 몸에 번개를 맞은 후 세상에서 제일 빠른 남자가 됐죠--.

빠르다면서 그것도 못 피하다니, 또-라-이-자식.

그건 제가 힘을 잃었기 때문입니다, 웨인 박사님. 게다가 플래시의 존재를 기억하는 사람이 아무도 없어요.

전 당신의 적이 아니에요.

도움을 청하러 왔다고요!

번지수를 잘못 찾았어.

여긴… 다른 지구인 게 틀림없어.

그게 아니면 미러 마스터의 거울 세계에 갇힌 거야.

일어나.

아마 쏜이 넣어 뒀을 겁니다. 자신이 이 일의 배후란 걸 알리려는 속셈이겠죠.

언제나처럼 절 농락하겠다는 수작입니다.

망상이 조커를 넘어서는군. 넌 아캄에 들어가야 할 놈이다.

미친 게 아닙니다, 웨인 박사님.

쏜은 예전의 저만큼이나 빨라요…. 그리고 그는 저라면 결코 하지 못할 일도 마다하지 않는 인간이에요.

역사를 바꿀 수 있단 말입니다.

제 어머니는 제가 열 살 때 살해됐어요. 아버지가 범인으로 지목됐죠.

전 아버지의 무죄를 입증하고, 진짜 살인범을 잡기 위해 법의학 공부에 인생을 걸었습니다.

하지만 아버지는 감옥에서 돌아가셨고 저는 끝까지 범인을 찾지 못했어요.

플래시가 되기 전에는 몰랐죠. 제 인생 전체가 아직 마주치지도 않은 적의 표적이었던 겁니다. 미래로부터 복수가 거슬러오고 있었어요.

쏜은 시간 여행을 할 수 있고…

…그가 제 어머니를 죽인 범인이었어요.

그런데 지금은 어머니가 살아 계세요.

의심의 여지가 없어요. 쏜이 역사를 바꾼 겁니다.

완전히 지옥이 되어 버렸어요. 누구도 슈퍼맨을 알지 못하고, 아쿠아맨과 원더 우먼은 전쟁을 벌이고--

브루스는 어떻게 됐지?

넌 여기 들어오면서 날 브루스라고 불렀어.

제가 아는 세상에선 당신이 총에 맞아 죽고, 브루스가 배트맨이 되어 고담시의 범죄자들을 상대로 전쟁을 선포했어요.

브루스가... 살았다고?

당신 아들은 제 가장 친한 친구 중 하나였어요.

지금도 가장 친한 친구고요.

내가 네 말을 믿어 준다면, 바꿀 수 있나? 원래대로...

...나는 죽고 브루스는 살아남게?

우선은 리버스플래시를 찾아서 무슨 짓을 했는지 알아내야 해요....

...그리고 그자를 시켜 원래 역사로 되돌려야죠.

그러면 정말 이 세상이 바뀔 수 있다는 거지?

바꿔야만 해요. 그런데 그 전에 필요한 일이 있어요, 박사님. 제 스피드를 찾아야 합니다.

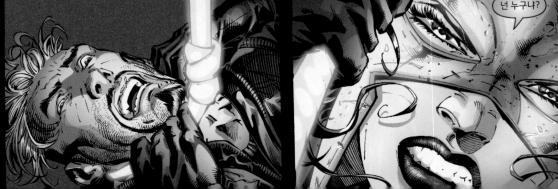

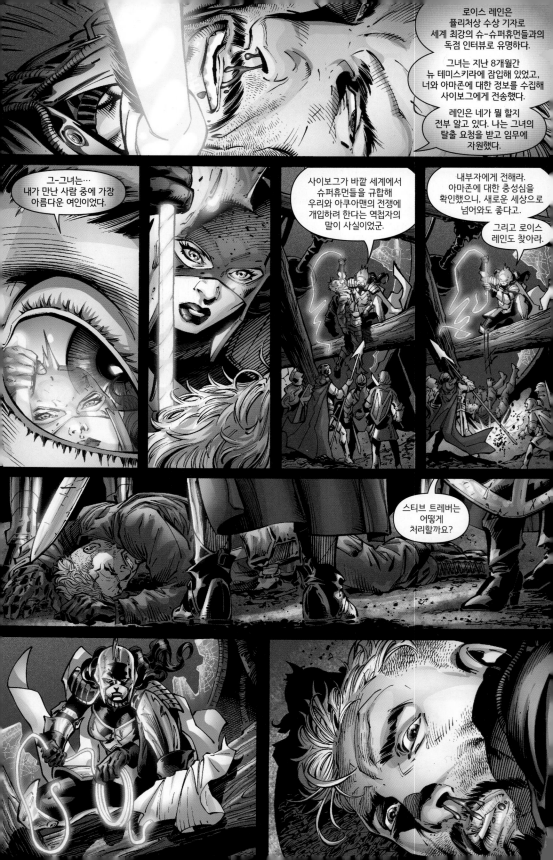

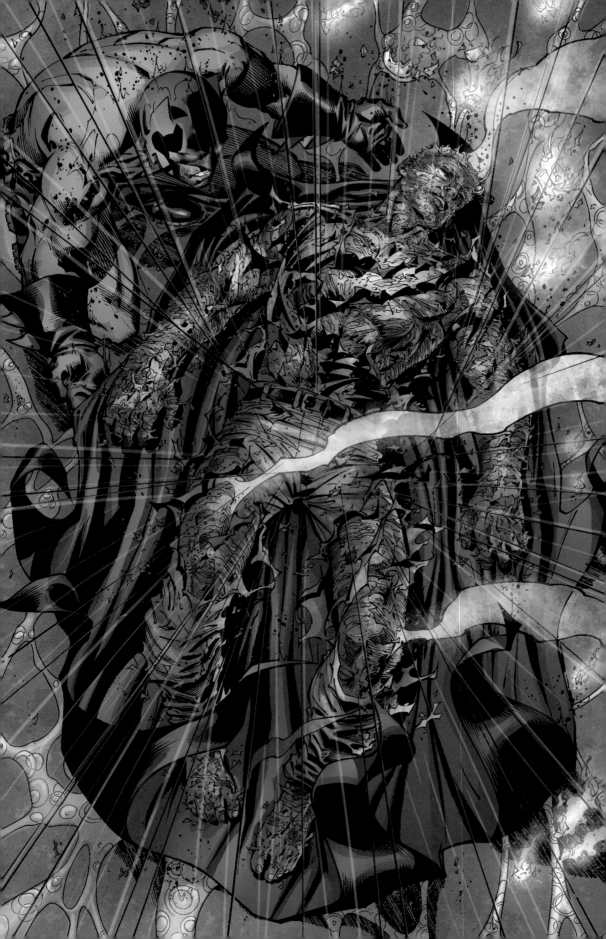

진짜 영웅들만 받아들여야 하네.

시간이 좀 더 필요합니다, 대통령님.

디트로이트, 사이보그의 산업 기지.

자넬 나무랄 순 없지.

하지만--

빅터, 세상을 사이에 둔 아쿠아맨과 원더 우먼의 줄다리기를 끝내기 위해 자넨 최선을 다해 슈퍼휴먼들을 모집해 줬네. 하지만 오늘 미국은 최고의 병사 하나를 잃었어.

방금 스티브 트레버 대령의 신호가 사라졌네. 저쪽 레지스탕스는 아무도 트레버의 메시지를 받지 못했고.

누군가 전송 전에 가로챈 거야. 그건 곧 자네가 모집한 인물 중에 배신자가 있다는 뜻이지.

난 아웃사이더가 의심스러워. 이 나라가 언제 무너질지 목을 빼고 기다리는 친구니까.

아닐 겁니다, 대통령님. 아웃사이더를 움직일 수 있는 건 돈 말고는 없습니다.

어쨌든 자네는 대중이 신뢰하는 유일한 슈퍼휴먼이야, 빅터. 내가 믿는 것도 자네뿐이고.

애써 군대를 모아 주는 건 고맙지만 미국은 더 이상 기다릴 수가 없어.

미국 군대만으로는 상대가 되지 않을 겁--

세계 어느 나라도 마찬가지일세. 마냥 이렇게 앉아서 배트맨 같은 인물이 깨달아 주기만 기다릴 수는 없어.

내부에 잠입한 누군가가 방해를 하고 있다면 더욱 그렇고.

조국에 보여 준 헌신에는 깊은 감사를 표하네만--

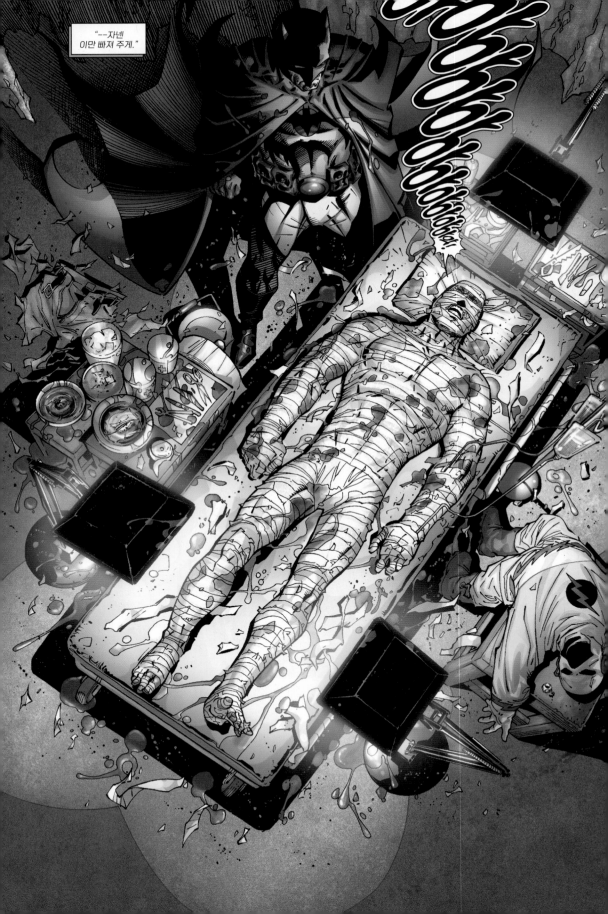

화상이 낫고 있군. 느리지만 치유되는 게 보여.

이런 일은 나도 처음 보는군.

제 스피드가 모든 신체기능을 가속하는 거예요. 자연치유력도 포함되죠. 하지만 최고 속도로 달리려면 시간이 좀 더 필요해요.

이것으로 자네가 세상에서 제일 빠른 남자라는 게 증명됐군. 그러나 자네 이야기의 진실성까진 증명된 건 아니야.

거기엔 다른 증거가 있어야겠죠.

수트가 필요하겠군. 하지만 내 걸 빌려 줄 생각은 없어.

됐습니다. 그걸 걱정했으면 진작 이 옷의 올을 다 풀어서 새로 염색을 했을 거예요.

하지만 이 저택에 구비된 화학약품이라면 새 옷을 만드는 것도 어렵지 않아요.

왜? 그것도 마찰방지 소재 맞잖아?

FZZZZZSSSHH

"이제 본격적으로 시작할까요."

컴퓨터가 이거 한 대 뿐입니까?

그래.

그런데 리버스플래시란 작자, 자네와 똑같은 힘을 지녔다면서 어떻게 그자만 역사를 바꿀 수 있는 거지?

간단한 과학 원리예요. 양성이 있으면 음성도 존재한다.

하지만 또 그렇게 간단하진 않습니다. 쏜은 네거티브 스피드 포스에서 힘을 얻어요. 제가 생산한 스피드 포스 에너지를 오염시켜 만드는 힘이죠.

네거티브 스피드 포스는 저에게는 없는 다양한 능력을 제공합니다. 신체 나이를 조절할 수 있고, 손을 대는 것만으로 물체를 노화시키거나--

--과거를 바꿀 수도 있죠.

이거 부팅에만 천년만년이군요.

시간여행은 자네도 할 수 있다면서?

그럼 역사를 바꿀 수 있지 않나?

기본적으로 최고 출력을 내기만 하면 가능하죠. 그런데 말씀드렸다시피 그 정도 속도에 도달하려면 시간이 좀 걸려요.

과거를 수정하는 건 말하자면 폭포를 거슬러 헤엄치는 것과 같아요. 시간의 흐름이 엄청난 힘으로 저항하게 돼 있습니다.

흐으으음.

그 "흐으으음."요. 당신 아들도 그렇고 말로 하기 뭐할 때 꼭 그러던데, 무슨 뜻이에요?

시도해 보지도 않고 헛걸음질 치는 것처럼 보인단 뜻이야--.

위험해서 그래요, 웨인 박사님.

보잘것없어 보이는 작은 사건 하나 때문에 도미노처럼 모든 게 무너질 수도 있어요.

앞 유리에 던진 돌덩이가 하나가 역사 전체에 균열을 일으킬 수도 있다는 얘깁니다.

나비 효과 말이군.

맞아요.

그런데 이 사건은 제 주변 인물들의 너무 많은 것들이 수정됐어요.

아주 치밀하게요. 제 동료와 친구들을 상대로 동시다발적인 공격이 이뤄졌어요.

남은 스피드스터가 없는 상황에서 제가 가장 먼저 해야 할 일은 저스티스 리그를 다시 모으는 거예요. 그걸 간파한 쏜이

그들을 먼저 제거했어요.

아니면 그러려고 했거나.

현재 시간대의 기억이 아직 자리를 잡진 않았지만, 아빈 수르가 그린 랜턴인 것이 보였어요.

그 외계인 말이군.

아빈 수르가 생존해 있다는 건 할 조던에게 반지를 넘기지 않았다는 뜻이죠.

할 "하이볼" 조던 대령? 페리스 항공의 테스트 파일럿?

아직 캐럴과 결혼도 안 했군요.

파워 링이 없는 할이라면 제거 일순위예요.

Coast City Gazette

논란의 조종사, 테스트 기체를 새로운 고도에 올리다

페리스 항공 주가 상승

그 다음은 팀의 대표자 격인 친구죠. 슈퍼맨. 크립톤 행성의 유일한 생존자.

지구상에서 가장 강력한 존재입니다.

그가 타고 온 로켓은 브루스가 태어날 때와 같은 시간에 착륙했을 겁니다.

마사가 브루스를 임신했을 때 로켓 한 대가 메트로폴리스에 추락했지. 그 때문에 도시 십여 블록이 파괴됐어.

맙소사... 인명 피해는 얼마나--?

3만 5천 명.

공격자가 누군지는 밝혀지지 않았어. 그러나 정부는 남미의 테러 조직을 배후로 지목했지. 그래서 미국이 침공을--

로켓은 어떻게 됐습니까?

DAILY PLANET
침공당한 메트로폴리스!

나야 모르지.

하지만 알아낼 만 사람이 있

뜻밖이군.
당신이 연락할 줄이야.

빅? 너… 덩치가
훨씬 커졌구나.

우리가
구면이던가?

내 이름은
배리 앨런,
하지만--

둘은 초면이야.

이 친구는…
고담에 온 지 얼마
안 됐어. 플래시라는
이름을 쓰지.

WAYNE CASINOS

날 호출한
이유는?

필요하다는 전략가
아직 못 구했지? 아쿠아맨과
원더 우먼에 맞서 싸울 수
있도록 모두의 힘을
모아 줄 인물.

…그래.

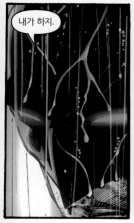

내가 하지.

뭐?
당신이--?

대신 내 방식대로
군대를 꾸릴 거야. 병사도
내가 고른다. 여기 플래시부터
시작이야.

다음으로 뽑을
인물은 메트로폴리스를 파괴한
그 로켓의 탑승자다.

대체 무슨 소릴
하는 거야?

이건 일급기밀이야.
내가 아는 한 그 정보에 대한 접근
권한을 가진 건 너밖에 없고.

내가?

무슨 뜻인지
못 알아들었나
보군.

"나도 함께 가겠어."

뉴 메트로폴리스.

어느 통로야?

나만 따라와. 프로젝트: 슈퍼맨의 도면을 다운로드했어. 깊이만 3킬로미터에 달하는 지하 다층 시설이야.

서브젝트 1 이후 지구에 떨어진 다른 두 로켓을 연구할 수 있도록 시설을 개조했군. 서브젝트 2와 서브젝트 3.

보안 설비는 어떻게 통과하지?

KRONNNK

우회해서 들어간다.

아얏.

괜찮아요?

오래돼서 그래.

뭘 망설이는 거야?

저놈들 잡아!

구세주께서 날아가 버리셨군.

"이 선생은 우리 스스로 싸워 이겨야 합니다."

코스트 시티.

비행 준비는 됐겠지, 헥터?

됐지. 내 솜씨 알잖아. F-35를 개조하는 데 24시간도 안 걸렸어. 무게를 635킬로그램이나 줄이고도 필살 스트라이크 미사일까지 장착했다고.

"그린 애로우". 표적을 놓치는 법이 없다던데.

신이시여, 퀸 인더스트리즈를 축복하소서.

그리고 헥터, 넌 정말 천재야.

할, 이 어리석은 친구야. 세상이 멸망할지도 모르는 상황에서, 넌 적진 한복판에 폭탄을 떨어뜨리러 갈 사람이라고….

천하태평도 유분수지. 이 상황에 웃음이 나와?

헥터, 이 임무가 얼마나 위험한지 내가 모를 거 같아? 이 난리를 겪었는데 걱정 안 될 리가 없잖아. 나, 캐럴, 그리고 이 세상. 무서워서 죽을 지경이야. 하지만 그런 생각에 사로잡히면 조종석에 앉을 수 없어. 그랬다간 나도 그 "슈퍼히어로들"처럼 내뺄지 몰라.

난 그런 사람 아냐.

절대 그렇겐 안 돼.

HAL "Highball" JORDAN

할. 행운을 빌어.

"우리로는 역부족이야."

빌리?!

누… 누구예요, 이 사람?

내 이름은 배리 앨런--

어디에서 왔냐고요! 다른 세계가 보였어요. 희망이 있는 세계요.

당신이 이 세계에서 하려는 게 그거예요? 우릴 돕는 것?

…믿을 수 없는 소식이 들어오고 있습니다… 영국에서 대학살이 벌어졌습니다…

아마존 앞석에 나던
미국의 전투 함대를…
투명 전투기들이
가로막았습니다.

아,
안 돼.

확인된
첫 사망자는
할 "하이볼" 조던
대령입니다.

할…

저쪽에서 뭔가 일이 벌어졌다는
소식이 들어오고 있습니다…
대규모 폭발인데, 우리 측이
일으킨 건 아니라고
합니다. 이건…

아쿠아맨과
아틀란티스군.

어떻게
알지?

초거대 파도가
영국을 덮치는 모습이
위성을 통해서 보여.
이제 시작이야.

끝입니다, 여러분.
이제 끝났어요--!

이봐!

FWAASHHH

엄마?

차림이 그게 뭐니? 여기서 뭐 하는 거야?

뉴스 들었니? 세상이 끝난다는구나.

그래요, 엄마.

그리고 그게 다 저 때문이에요.

WOOOOSHH

플래시?

브루스.

브루스 맞지,
그렇지?

당연히 나지. 갑자기 웬
뜬금없는 소리야?

무슨 일 있어?

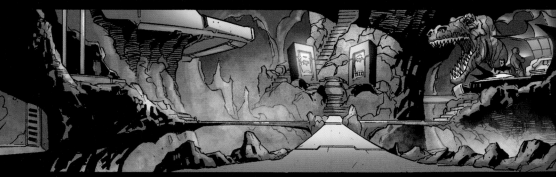

이 세계에 대한 내 기억 말이야. 거기서는 매 순간 흐릿해졌는데… 지금은 몇 시간이 지났는데도…

그 세계의 열세 살 생일 파티까지 또렷하게 기억이 나. 어머니가 스포츠카 모양의 케이크를 구워 주셨던 것까지 말이야.

열여섯 살 되던 날, 어머니랑 같이 운전면허 시험 보러 간 기억도 선명해.

일요일 저녁이면 어머니 집에 들러 저녁을 먹었어. 지난주엔 라자냐를 만들어 주셨어. 난 어머니가 제일 좋아하는 레몬 타르트를 디저트로 들고 갔어.

어떻게 된 영문인지 모르겠지만, 대체 시간대에 살았던 어머니와의 모든 순간이 다 기억나.

일시적인 후유증이거나 아니면 혈류 속에 시간의 잔류물이 남아 있기 때문이 아닐까 하는데.

선물일 수도 있지.

고통을 조금은 덜어 줄 선물.

브루스….

말 안 한 게 하나 더 있어. 거기서 누굴 좀 만났는데.

그 사람이 었다면 세상을 ㄱ하지 못했을 거야.

그 사람한테 받은 거야.

이게 뭔데?

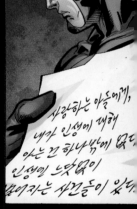

자랑하는 아들에게, 내가 인생에 대해 아는 건 하나밖에 없다 인생의 느닷없이 모여지는 사건들이 있다.

FLASHPOINT 2 | *Variant*

Art by Ivan Reis, George Pérez and Rod Reis

레지스탕스 공군 기지

알래스카
(언데드의 땅)

아마존-아틀란티스
전쟁 지역

뉴 테미스키라

시간 이상
(센트럴 시티 근처)

프로젝트 S
메트로폴리스

아틀란티스
(수면 아래)

코스트 시티
씨 데블스와 페리스 항공 소재지

미국 핵무기 저장소

그린 애로우 인더스트리즈
R&D 제작소

브라질
(나치 점령 지역)

해적 교역 루

H.I.V.E 의회

국제 위협 지도

플래시포인트 제작과정
앤디 큐버트의 스케치 및 디자인

처음에 앤디는 플래시포인트 #2의 4-5페이지를 스프레드 페이지로 연출하려고 했다.
그런데 데스스트록 승무원들은 멋있게 나온 반면, 바다에 떠 있는 선박 잔해들 위로 솟은
에펠탑 꼭대기가 적절한 크기와 너비로 그려지지 못해서 비율에 맞춰 배의 크기를 작게 줄였다.

플래시

앤디는 배리 앨런의 의상은 최대한 고전미를
살리기로 했다. 온 세상이 미쳐 돌아가도 플래시는
변함이 없어야 했다.

하이드 부인

하이드 부인의 두 가지 모습.
아티스트는 원래 밀리터리 스타일로 방향을 잡았지만,
작가 제프 존스가 빅토리아풍 캐릭터로 요구했다.

고디바는 초기 단계부터 무조건 예쁘게 갔다.
머리카락이 좀 더 풍성해진 것 말고는 그대로다.

고디바

'HYDE'

PALE SKIN/GRAYISH
RED LIPSTICK
BLUE EYES

· PULLED BACK HAIR/
SHORT/CROPPED
IN BACK

· SQUARISH JAW

· BLACK
VICTORIAN
CAPE W/
EMBROIDERY

· WHITE
DRESS SUIT
WITH
LOOSENED
NECK
TIE

· BLACK
GLOVES

· BLACK
SHORT
BOOTS

· SHE DOESN'T
HAVE BULGING
MUSCLES, BUT
IS WELL
BUILT. ↘

· BALD

· SQUARE-ISH
JAW/ PRETTY
FEATURES

· TATTO'S
ON LEFT
ARM

· BLACK
TANK TOP

VEST →
WITH
POCKETS

← BLACK
GLOVES

'CAMO'
PANTS/
ESPECIALLY
SINCE SHE'S
IN THE
RESISTANCE

· COMBAT BOOT
WITH BUCKLES

아쿠아맨

늘어난
삼지창

줄어든
삼지창

초기 단계부터 이 디자인의 아서 커리를 냉혹한 아쿠아맨으로
쓰기로 했다. 그는 지상 세계 혹은 저스티스 리그와 자신의 세계관을 바
꿀 만한 진정한 교류를 해 본 적이 없다. 의상은 전체적으로 거의
수정된 부분이 없다. 상의의 마크, 바지의 줄무늬가
짧게 깎은 머리 모양이나 얼굴 흉터와 어울려 군인 느낌을 물씬 풍긴다.
빨강과 검정은 이 시리즈에서는 보이지 않는
오리지널 아쿠아래드 캐릭터의 디자인을 절묘하게 참고했다.

다리 뒤쪽의 날카로운 "물갈퀴"

S!H!A!Z!A!M!

앤디는 샤잠 키즈를 통해
마블 패밀리 전체를 새롭고 친근한 얼굴로
재창조할 기회를 얻었다.

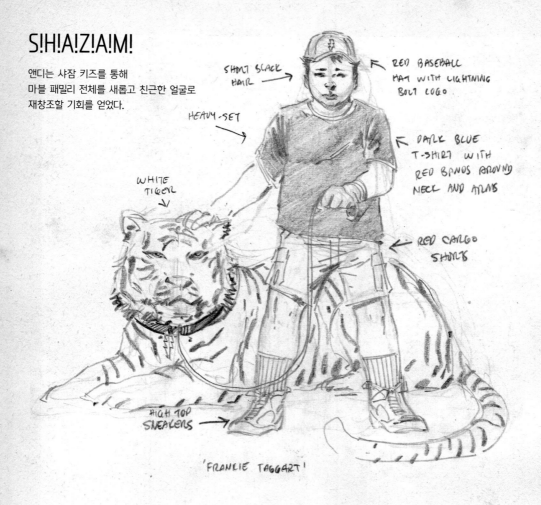

SHORT BLACK HAIR

RED BASEBALL HAT WITH LIGHTNING BOLT LOGO

HEAVY-SET

DARK BLUE T-SHIRT WITH RED BANDS AROUND NECK AND ARMS

WHITE TIGER

RED CARGO SHORTS

HIGH TOP SNEAKERS

'FRANKIE TAGGART'

BROWN JACKET

RED SHIRT YELLOW COLLAR

BLUE JEANS

SNEAKERS

LOGO

'BILLY BATSON'

LIGHTNING EARRINGS LOGO

HAIR GROOMS BEHIND HER EARS

HOODIE SWEAT-SHIRT/ ZIPPED ON BOTTOM

LOW BLOUSE

RABBIT

BLUE JEANS

BOTTOMS CUT ABOVE ANKLES

SANDALS

'MARY BATSON'

LIGHTNING BOLT NECKLACE

PLAID SHIRT W/ BLACK LONG SLEEVE UNDER-SHIRT

BLUE JEANS

BLACK SHOES

'FREDDIE FREEMAN'

원더 우먼

원더 우먼은 우아함에 면도날처럼 날카로운 집념이 어우러져 표현되었다.
디자인을 하던 중 메라가 쓰던 투구를 쓴다는 무서운 아이디어도 떠올랐다.
투구를 획득하는 과정이 그녀와 아쿠아맨과의 관계를
극도로 악화시킬 것이다.

앤디가 플래시포인트만의 다이애나를
살리기 위해 갑옷에 추가한 디테일을
보여 주는 스케치들.

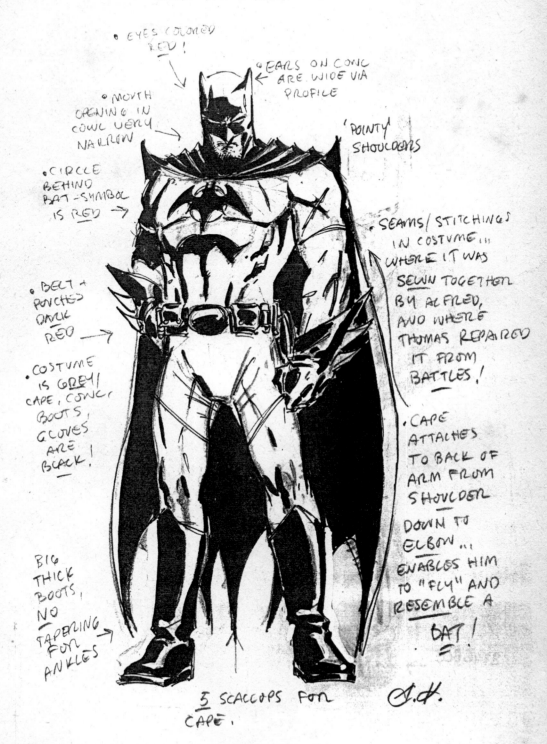

이 페이지와 다음 페이지를 보면 앤디가 1940년대의 오리지널 배트맨 콘셉트를
어떻게 토마스 웨인에게 적합한 형태로 발전시켰는지 알 수 있다.
우리 모두의 마음속에서 이 인물은 클린트 이스트우드가 연기하는 다크 나이트였다.

PROFILE
EAR SHAPE
ON COVER

STUBBLE →

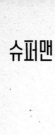

슈퍼맨

SUPERMAN

HAIR CUT
SHORT ON
SIDES

THINNISH
EYEBROWS

UERY
DRAWN/
TIRED
LOOKING

STILL
CAN SEE
SQUARE
JAW AND
CHIN

RAZOR
STUBBLE

슈퍼맨으로 말하자면 정말 완전히 다른
모습으로 갔다. 작가인 제프 존스는 지구에
감금된 정말 외롭고 온순한 크립톤인을 구상했고,
앤디는 그것을 능수능란하게 그려 냈다.
칼의 눈이 모든 것을 말해 준다.

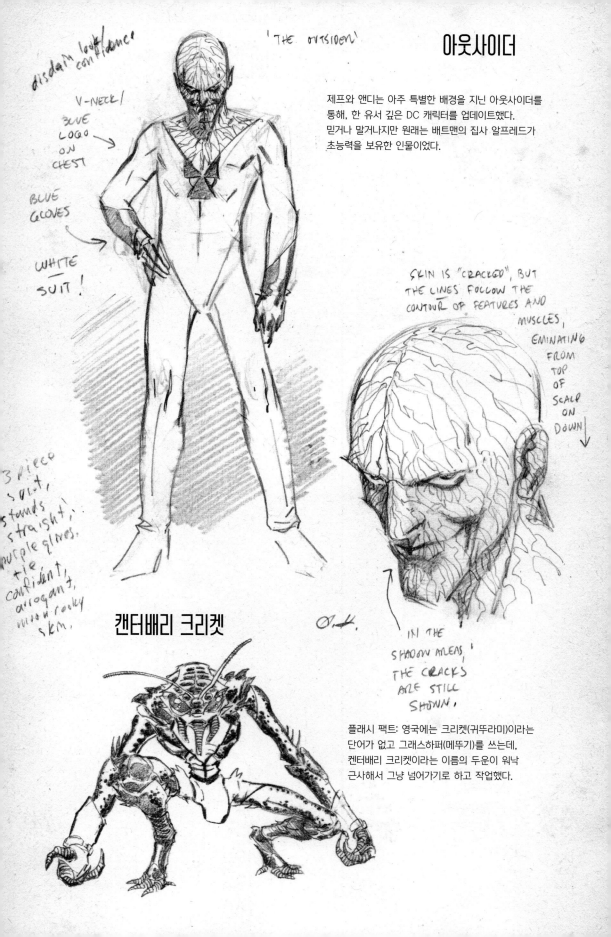

'THE OUTSIDER'

아웃사이더

제프와 앤디는 아주 특별한 배경을 지닌 아웃사이더를 통해, 한 유서 깊은 DC 캐릭터를 업데이트했다. 믿거나 말거나지만 원래는 배트맨의 집사 알프레드가 초능력을 보유한 인물이었다.

disdain look/confidence

V-NECK/
BLUE
LOGO
ON
CHEST

BLUE
GLOVES

WHITE
SUIT !

3 piece suit, stands straight, purple gloves, tie confident, arrogant, with cracky skin.

SKIN IS "CRACKED", BUT THE LINES FOLLOW THE CONTOUR OF FEATURES AND MUSCLES, EMINATING FROM TOP OF SCALP ON DOWN →

IN THE SHADOW AREAS, THE CRACKS ARE STILL SHOWN.

캔터배리 크리켓

플래시 팩트: 영국에는 크리켓(귀뚜라미)이라는 단어가 없고 그래스하퍼(메뚜기)를 쓰는데, 켄터배리 크리켓이라는 이름의 두운이 워낙 근사해서 그냥 넘어가기로 하고 작업했다.

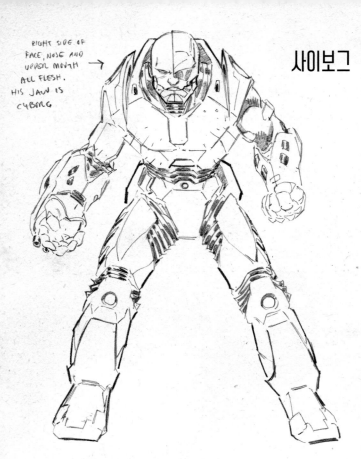

RIGHT SIDE OF
FACE, NOSE AND
UPPER MOUTH
ALL FLESH.
HIS JAW IS
CYBORG

사이보그

CYBORG SYMBOL

플래시포인트 작업에 착수하면서 제프는
장수 캐릭터인 타이탄 사이보그의 위상을
높이고 싶어 했다. 앤디는 인간 탱크라는
제프의 개념을 염두에 두면서 갑옷에 변화를
주었다. 우리는 그에게 엠블럼을 달아 주는
아이디어를 두고 고심하다가 결국 포기했다.

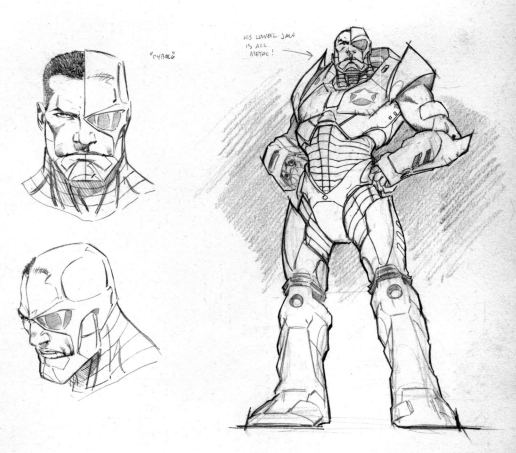

"CYBORG"

HIS LOWER JAW
IS ALL
METAL!

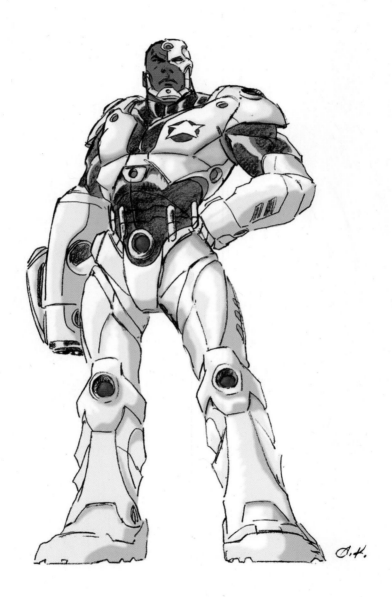

블랙아웃

Black ski mask/
cobbled together/
opposite of outsider... used to work...
power out of hands...
regular size, 18-19 years old   change it up.
t-shirt, jeans, gloves, symbol,
hi top nike hp tops-
-snaggy short hair-

'BLACKOUT'

'BLACKOUT'

제프 존스는 블랙아웃을 창작하고, 플래시포인트에서
더 많은 분량을 주지 못해 아쉬워했다.
이 인물의 완전한 잠재력은 드러나지 않은 채로
남아 있을 것이다.

샌드맨

샌드맨은 건강하지 못하며 자기 친구들 모두의 죽음을 실제로, 혹은 꿈에서 봤다. 이동식 생명 유지 장치로 몸을 감싸고 있다.

← BLACK HAT

BLACK GLOVES

BLACK TRENCH COAT /

BACK 'RAINCATCHER' PART OF COAT IS LONG TO ACT AS CAPE /

THE INSIDE OF 'CAPE' WOULD BE GREEN (HIS ORIGINAL UNIFORM WAS A GREEN SUIT). HAVING THE INSIDE OF CAPE LIGHTER IS SIMILAR TO THE RENDERING STYLE OF BATMAN'S CAPE!

BLACK PANTS + SHOES

'THE SANDMAN'

고디바

한결 다듬어진 고디바의 모습.

PIED PIPER MASK "METAL"

파이드 파이퍼

파이드 파이퍼의 새로운 모습은 센트럴 시티의 "영웅" 시티즌 콜드와 대결한 결과다.

FLASH
LYING
IN
RUBBLE,
TORN,
BEATEN,
ABOUT
TO
BE
DEALT
FINAL.
BLOW
BY
AQUAMAN
+
WONDER
WOMAN.

ELECTRICITY COMING FROM FLASH + HIS SYMBOL IT

앤디가 그린 #4 커버 스케치

FLASHPOINT #5

REVERSE
FLASH
CRUSHING
FLASH'S
SYMBOL/
ELECTRICITY
COMING
OUT
OF
IT.

앤디가 그린 #5 커버 스케치
모든 커버에는 번개가 내리치는
일관된 모티브가 있다.